ジョー・パス・スタイルの探究 ギター

Essential Jazz Lines

in the Style of joe pass

Corey Christiansen 著・演奏

ATN, inc.

もくじ

日本語版に寄せて

エッセンシャル・ジャズ・ライン・シリーズは、偉大なジャズ・ミュージシャンたちの膨大な音楽的テクニックと実際のフレーズを、学習者に提供しています。それぞれの本には、伴奏用のCD が付属しているので、本に掲載されたさまざまなアイディアが、実際にバンドの中でどのようにサウンドするのかを確認することができます。このシリーズの内容を理解して、実践することによって、さまざまなアーティストのジャズ言語をマスターするだけでなく、自分自身のオリジナル・サウンドを発展させることもできます。幸運を祈っています。このすばらしい音楽を練習し、マスターすることを楽しみましょう。

Corey Christiansen

著者について

Corey Christiansen (コーリー・クリスチャンセン)

5 歳でギターを始め、父親の *Mike Christiansen* と著名なジャズ教育者である *Jack Patterson* に師事する。ジャズ・パフォーマンスの修士号を取得後、南フロリダ大学でジャズ・ギターの講師を務める。同大学で教えていた間、多くの生徒たちと演奏したり、生徒たちによるグループを率いた。イタリアのペルージャでのウンブリア・ジャズ・フェスティバル、クリアウォーター・ジャズ・フェスティバル、デイトナビーチ・ジャズ・フェスティバル、セントルイス・ジャズ・フェスティバルなど、有名なフェスティバルに出演。また、*Jimmy Bruno*、*John Negri*、*Willie Akins*、*Chuck Redd*、*Rob McConnel*、*Sid Jacobs*、*Jack Wilkins*、*Danny Gottlieb*、*Tim Hagans* など、たくさんの優れたジャズ・アーティストたちと共演およびレコーディングした経験をもつ。

Corey は、**Mel Bay** 出版社のギター編集主幹として活動後、現在ユタ州立大学、インディアナ大学で指導をしている。またコンサートやクラブで演奏する他、学校や楽器店でのギター・クリニックにおいて、実にさまざまな内容に関するクリニックを行っている。

Joe Pass について

ジョー・パスは、ジャズ・ギタリストの中でも、もっとも偉大な存在のひとりであり、ジャズ・ギターの真の達人です。本書で取り上げるライン（フレーズ）はジョー・パスが使ったもので、これからジャズ・ギターを学ぶ人たちも使うべきフレーズといえます。本書の目的は、ジョー・パスのラインを分析し、ハーモニー的にどのように使われているかを分類することです。各譜例は、C のキーで書かれていますが、12 のすべてのキーでマスターするように練習しましょう。ラインを分析し、ii - V など特定のハーモニーで分析したラインを使うことから、本書のジャズ言語の習得は始まります。また、どのようにしてソロを構成すればよいのかを学ぶためには、この練習と併行して、偉大なジャズ・プレイヤーたちのソロを学ぶことも続けましょう。

私は南フロリダ大学の大学院に在席中に、*Jack Petersen*（ジャック・パターソン）と *Jack Wilkins*（ジャック・ウィルキンス）という 2 人の熟達したジャズ指導者の元で勉強しました。2 人とも、実に理解しやすく、また消化しやすい方法でジャズ言語を教えてくれました。まるで語学の先生が学生たちに外国語を教えるように、ジャズ言語を分析し、学び、習得する方法を誰にでも教える、すばらしい指導者でした。その方法は、1 〜 2 小節のフレーズを覚えて、ハーモニーに当てはめるというものです。それはちょうど、スペイン語を学ぶ学生がいくつかの常套句を覚えて会話に当てはめるのに似ています。オリジナル・キーでフレーズを学んだ後は、12 のすべてのキーに移調し、インプロヴィゼイションの素材として使います。フレーズとアイディアを増やすほど、インプロヴァイズ、つまり自分のアイディアを並べて、新しいメロディを創れるようになります。そして最終的には、自分自身のインプロヴィゼイションをするためのボキャブラリーを発展させることができます。

この学習法でもっとも重要なことは、フレーズとバックにあるハーモニーの関係を視覚的にも聴覚的にも理解することです。本書では、掲載しているすべてのジョー・パスのラインを C キーに移調し、C キーの ii - V - I（Dm7 – G7 – C）進行に関連づけています。ii - V - I 進行はジャズにおいてもっとも一般的なコード・プログレッションのため、ラインを 12 のすべてのキーで習得することはとても重要です。付属のプレイアロング CD は、ラインがどのようにハーモニーと関連しているかを聴くために使用します。各ハーモニーのセクションにはそれぞれ、オリジナル・キーのプレイアロング CD とサークル・オブ 4th（4 度上行／5 度下行）に沿って移調する伴奏が収録されており、12 のすべてのキーで練習できるようになっています。私は、学習者がジョー・パスのラインを学び、組み合わせて、自分自身のアイディアを創ることを望んでいます。ジャズを演奏することは、言葉を話すことにとてもよく似ています。私たちは同じ単語を使っていても、人によって単語の並べ方や使い方が異なるため、それぞれ自分独自の話し方ができるのです。

何より演奏を楽しんでください。ジョー・パスもきっと演奏を楽しんでいたことでしょう。　Good Luck!

Corey Christiansen
（コーリー・クリスチャンセン）

Corey Christiansen が、独創的な音楽的研究と分析に基づいて執筆した本書は、
あなた自身のインプロヴァイジング・スタイルの上達に役に立つように編集されています。

1小節のマイナー 7th コード

Dm7 コード上で使えるラインを学習しましょう。この場合の Dm7 コードは、メジャー・キーの ii コードまたはマイナー・キーの I コードとして機能するものです。本書では、ラインの中に 1 小節(または 2 小節)を 1 拍(または 2 拍)越えるものもあります。このような場合、ジョー・パスは小節線を越えてアイディアを広げています。通常の 1 小節(または 2 小節)を越えた、( )で括られた音はラインの解決音です。ほとんどの場合、ラインの解決音は次のコードのコード・トーンまたはスケール・ノートです。例えば、C 音で終わる Dm7 のラインの場合、( )がついた解決音はB 音です。B 音は、ii - V - I 進行で Dm7 に続く G7 の 3rd として機能するためです。p.8 の ⑳ の譜例のように( )がつけられた ii - V - I 進行において、次に演奏すべき音を聴く(そして見る)ことができるようにするためのものです。

すべての譜例は一般的な 4/4 拍子で記譜されています。

① Dm7

② Dm7
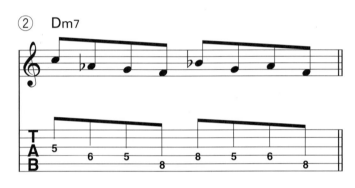

③ Dm7
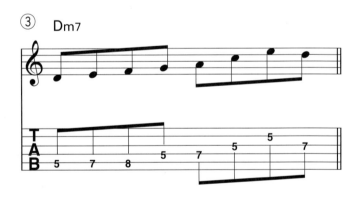

④ Dm7
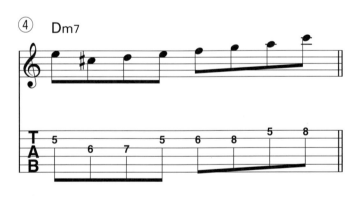

⑤ Dm7
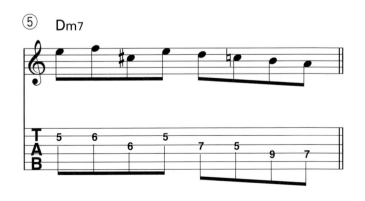

⑥ Dm7
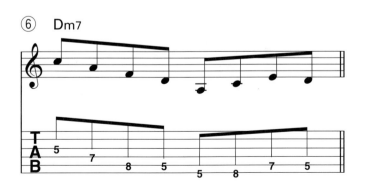

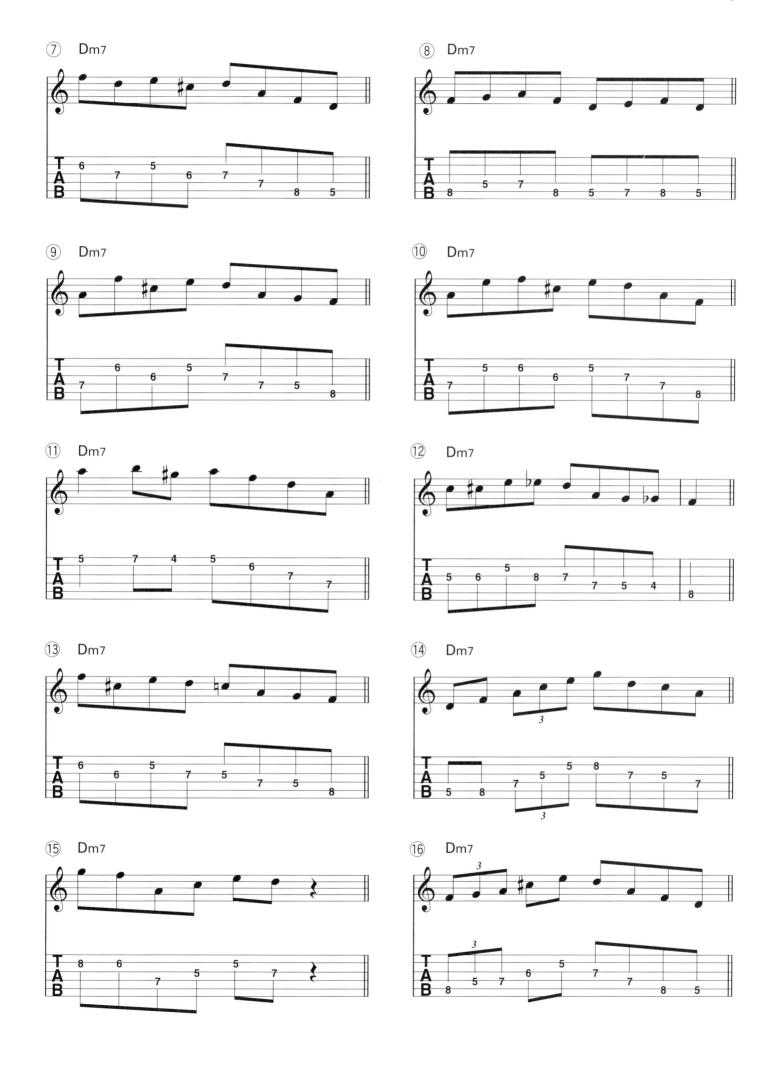

8

2小節のマイナー7thコード

以下のラインは、2小節の Dm7 コード上で使えるアイディアです。

すべての譜例は一般的な 4/4 拍子で記譜されています。

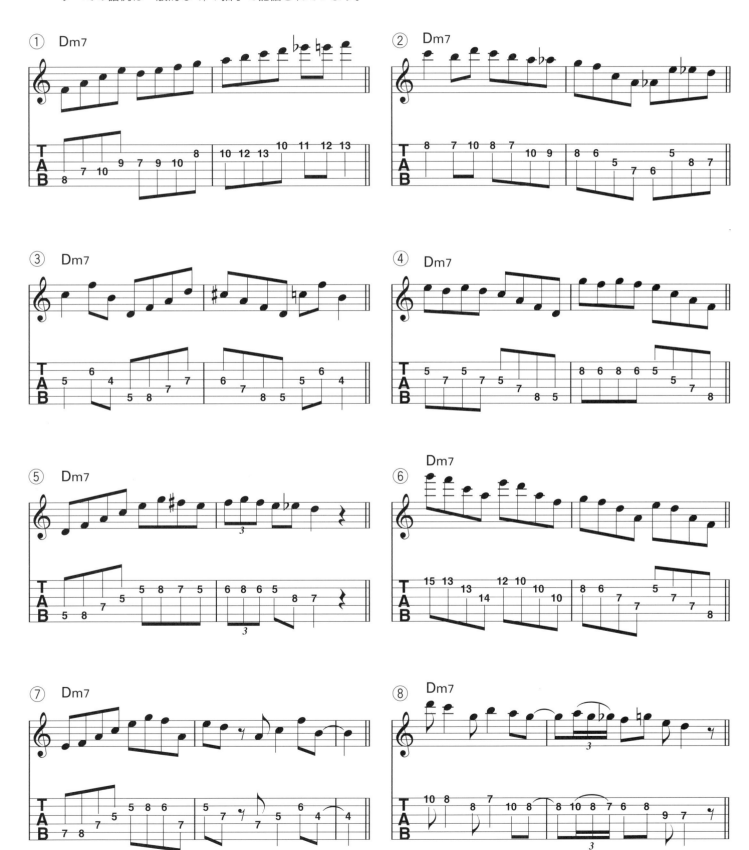

10

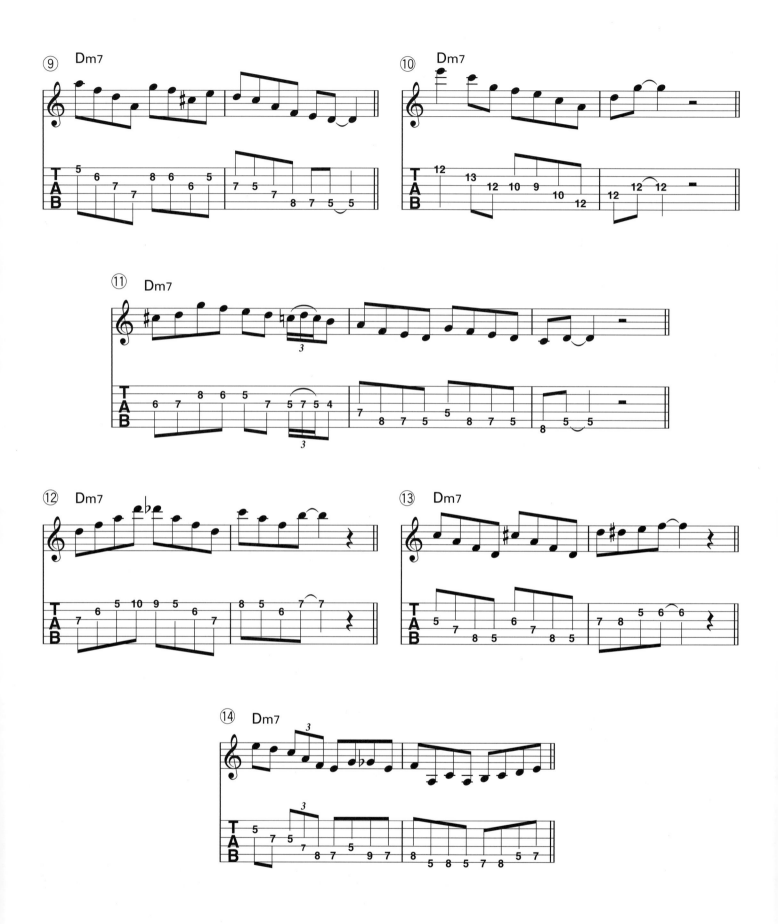

２小節のラインは、１小節のラインを２つ組み合わせて創ることもできます。

次のハーモニック・ヴァンプを使って、これまでに学習したマイナー 7th コードのラインをプレイアロング CD に合わせて練習しましょう。

マイナー・コード・ヴァンプ

 Track 2

Track 3 のリズム・トラックを使って、サークル・オブ 4th に沿って移調する練習をしましょう。この練習を続けることで、ラインを 12 のキーすべてで確実に習得できます。

Example

Example を 5 度下に移調（4 度上を 1 オクターヴ下げるともいう）

4 度で移動するマイナー・コードのラインの練習

 Track 3

12

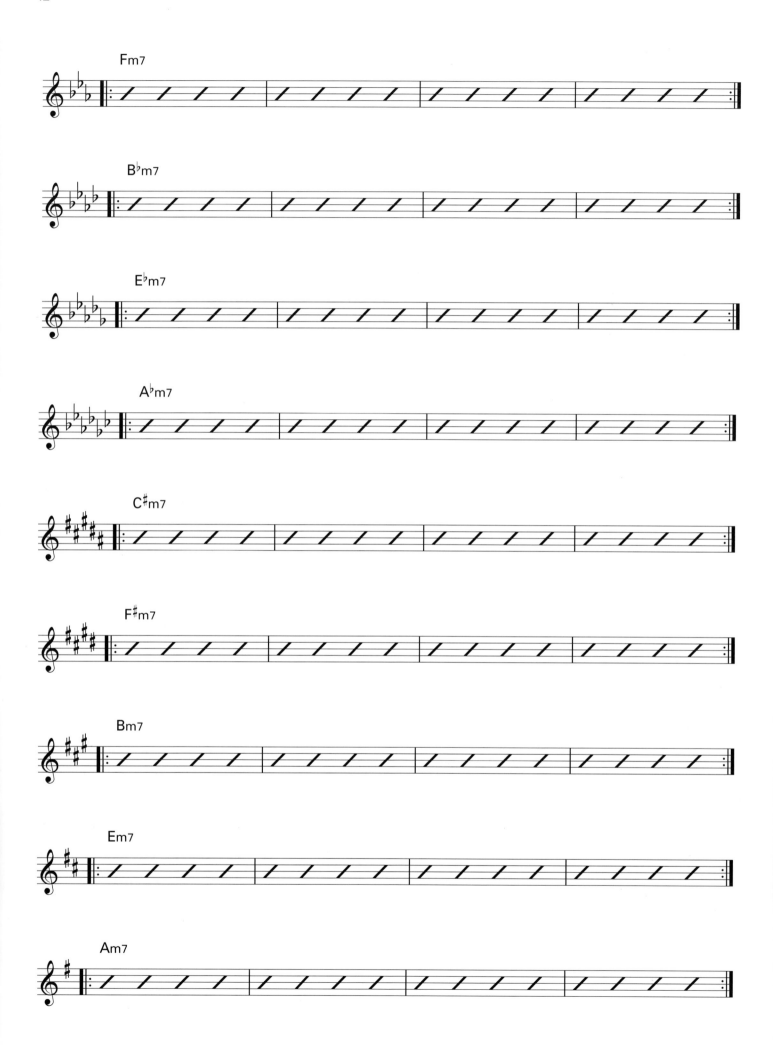

1小節のドミナント 7th（V）コード

以下のラインは、1小節の G7 コード上で使えるアイディアです。

すべての譜例は一般的な 4/4 拍子で記譜されています。

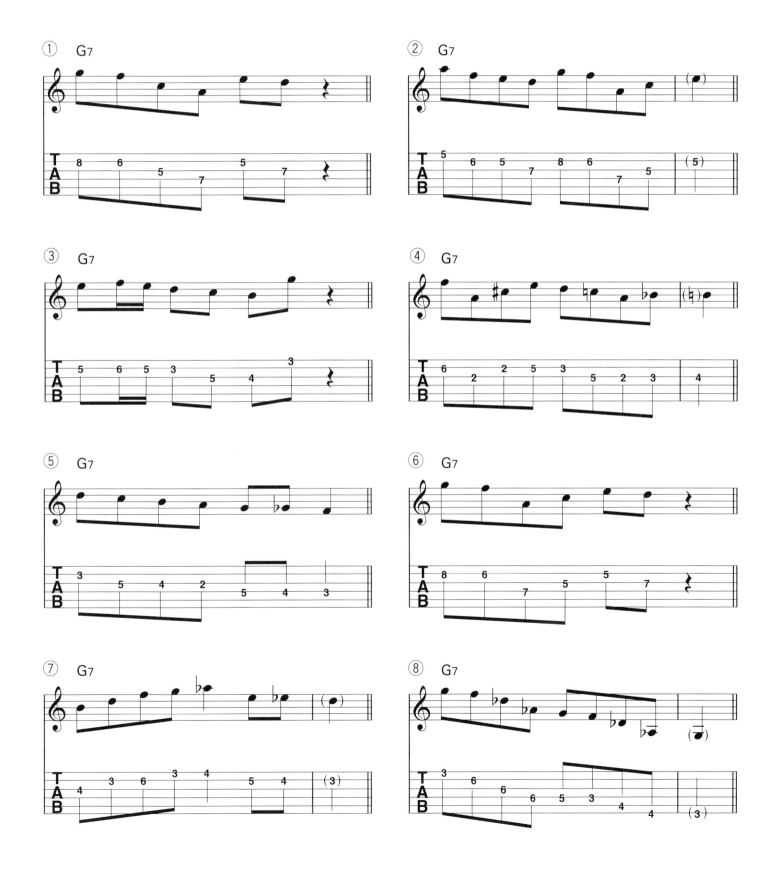

14

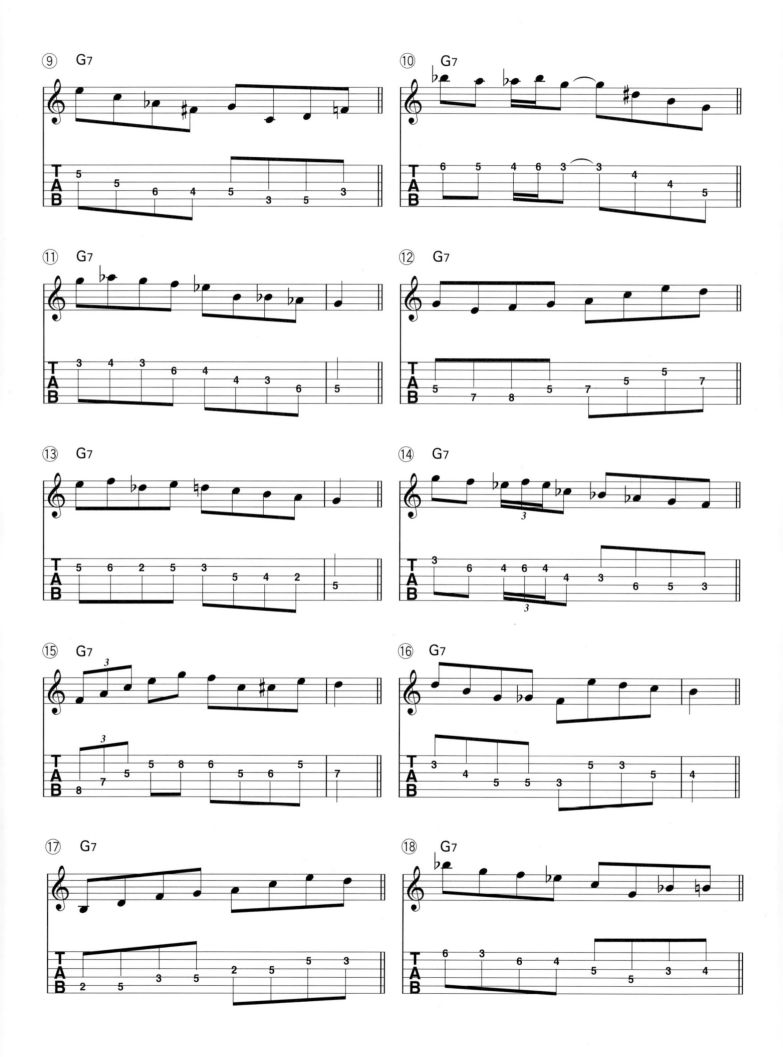

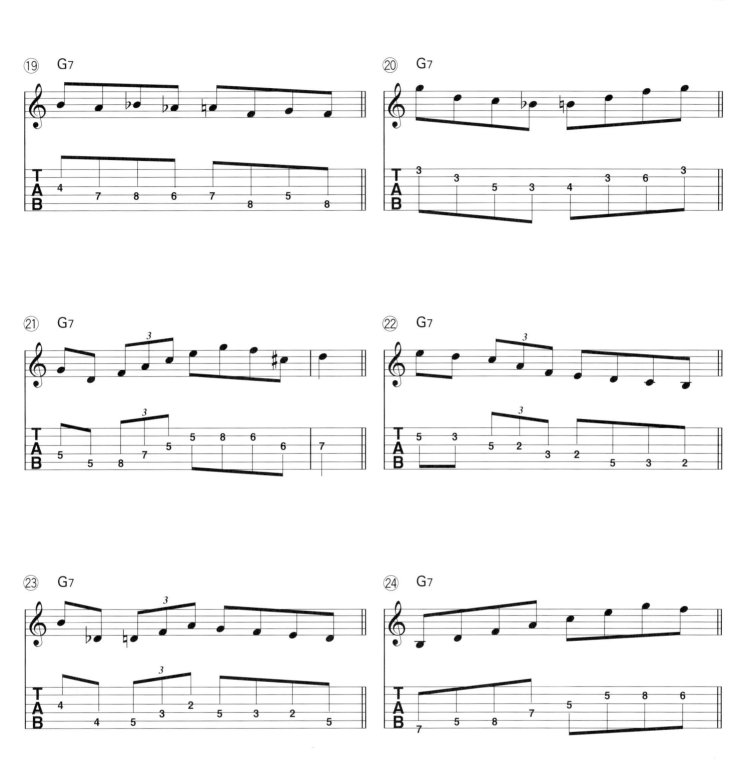

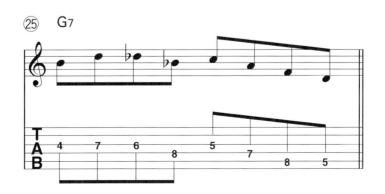

2小節のドミナント7th（V）コード

以下のラインは、2小節のG7コード上で使えるアイディアです。

すべての譜例は一般的な4/4拍子で記譜されています。

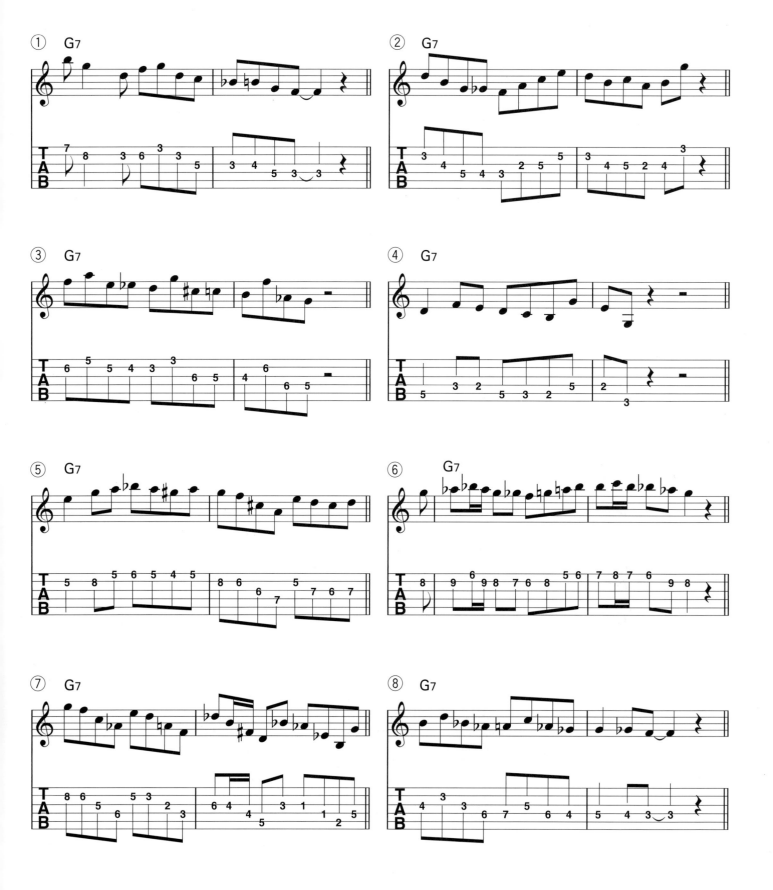

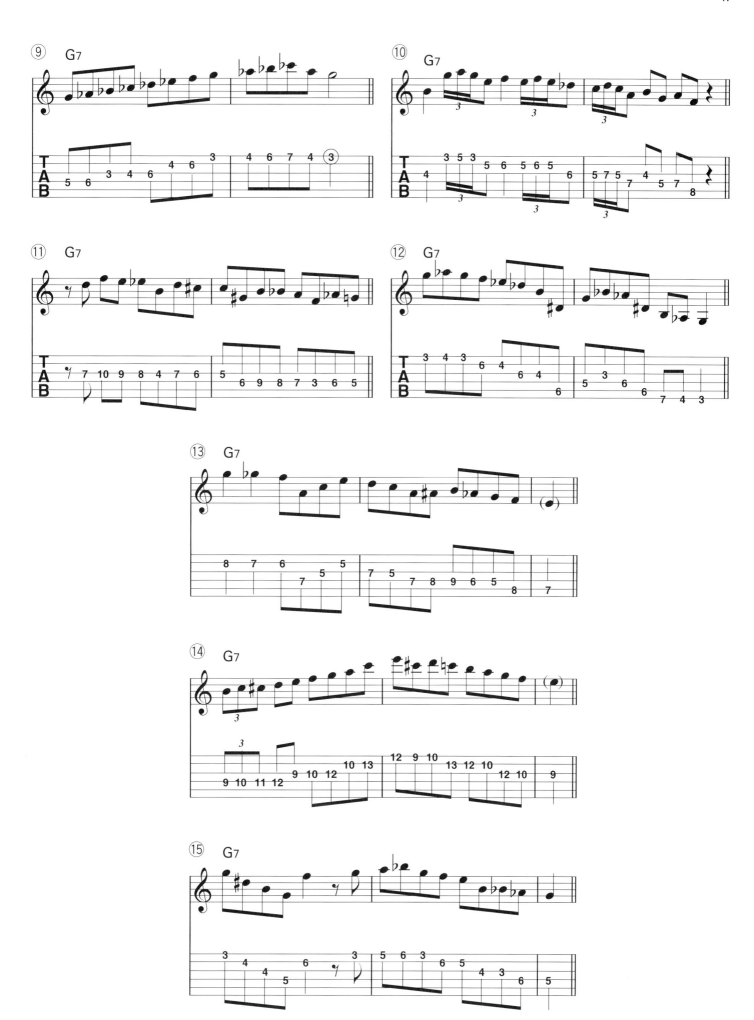

18

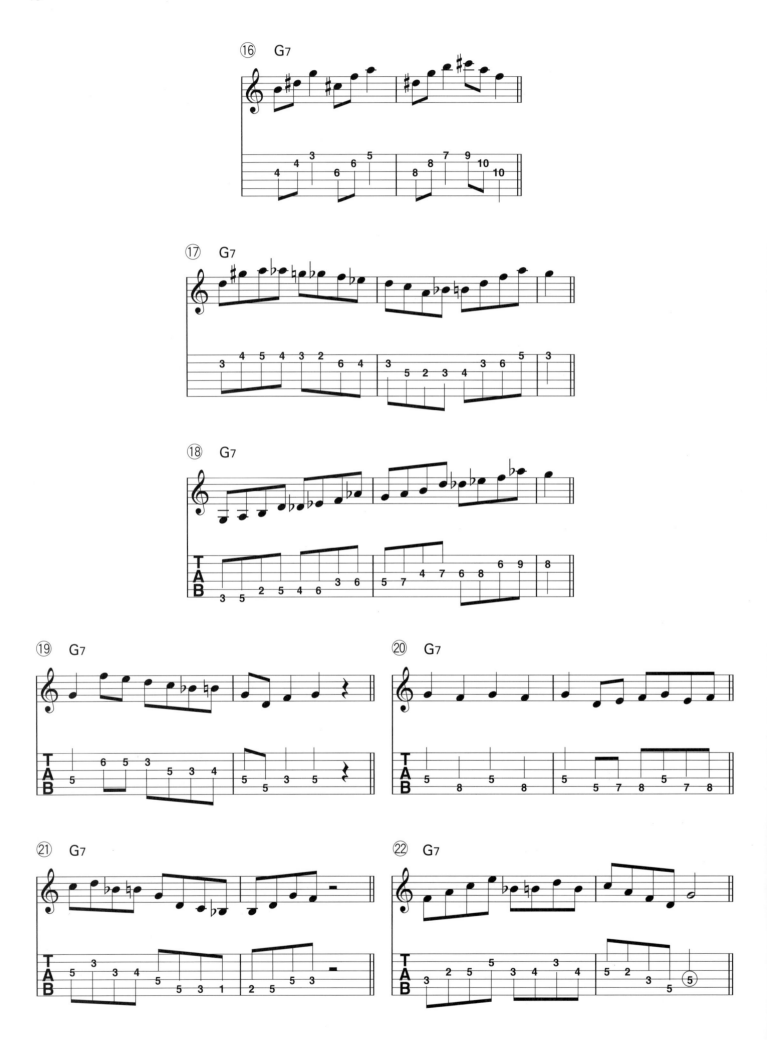

次のハーモニック・ヴァンプを使って、これまでに学習したドミナント 7th コードのラインをプレイアロング CD に合わせて練習しましょう。

Track 4

ドミナント 7th ヴァンプ

Track 5 のリズム・トラックを使って、サークル・オブ 4th に沿って移調する練習をしましょう。この練習を続けることで、ラインを 12 のすべてのキーで確実に習得できます。

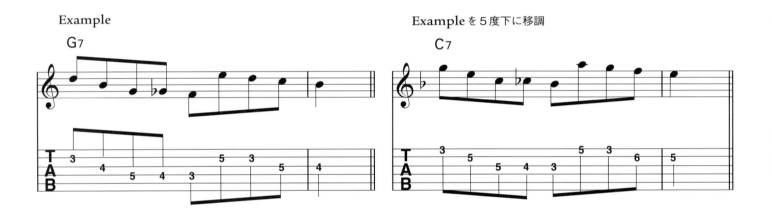

４度で移動するドミナント 7th コードのラインの練習

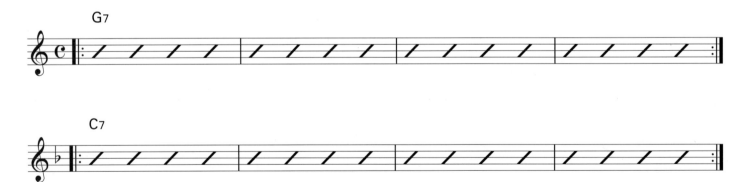Track 5

1小節のii-V（ショートii-V）進行で使用できるライン

以下のラインは、1小節のii-V（Dm7 - G7）進行で使えるアイディアです。

すべての譜例は一般的な4/4拍子で記譜されています。

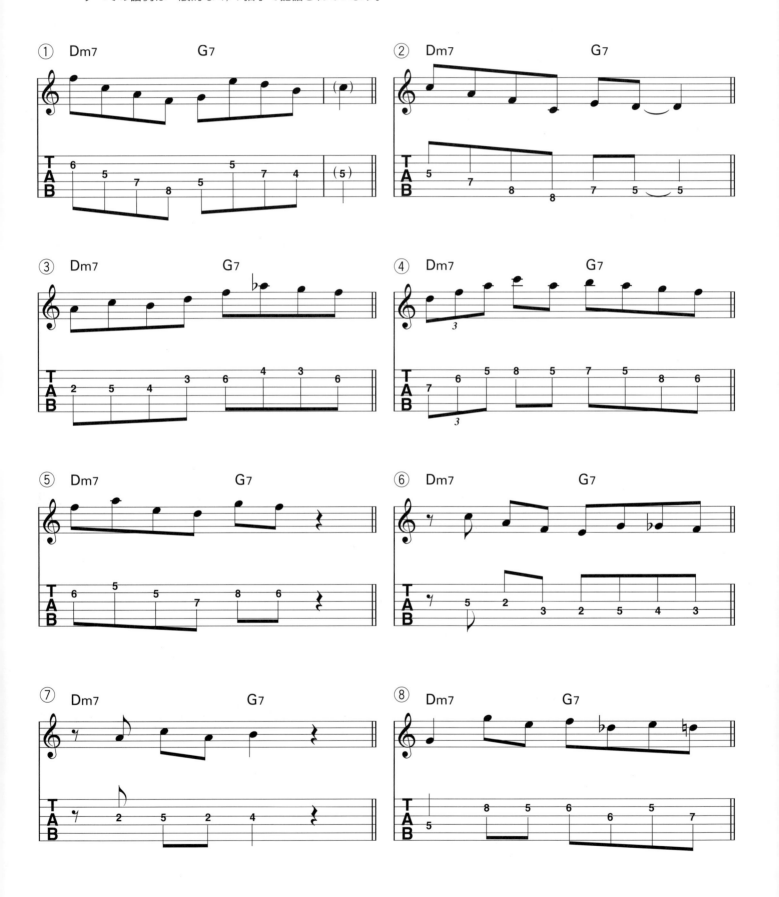

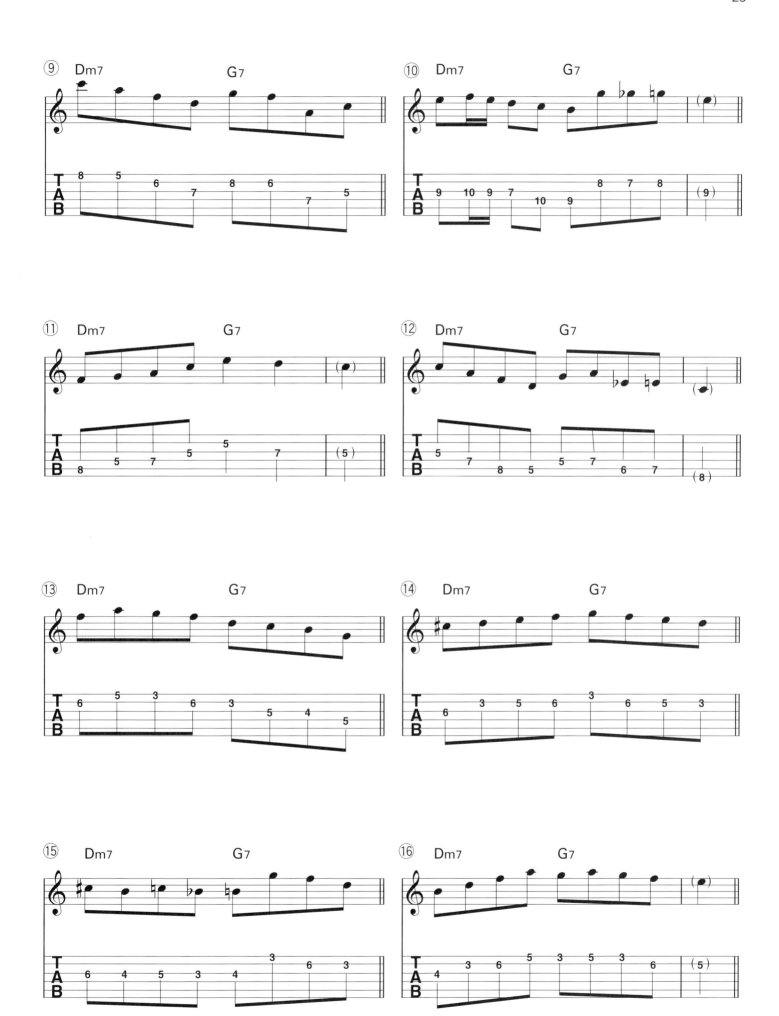

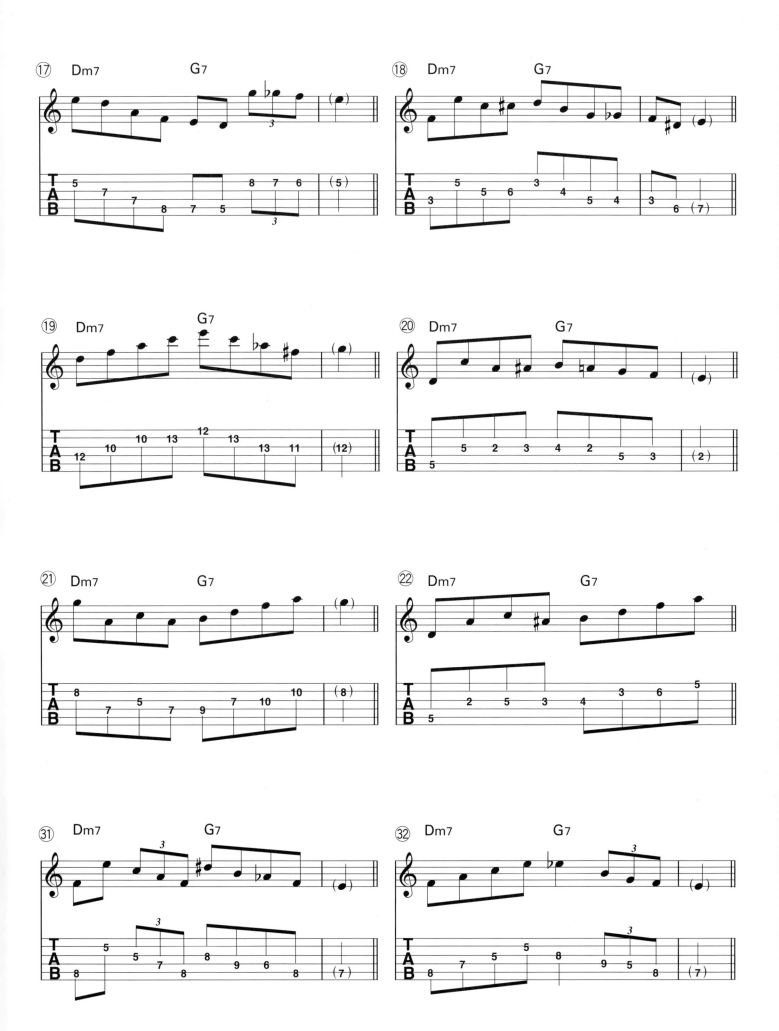

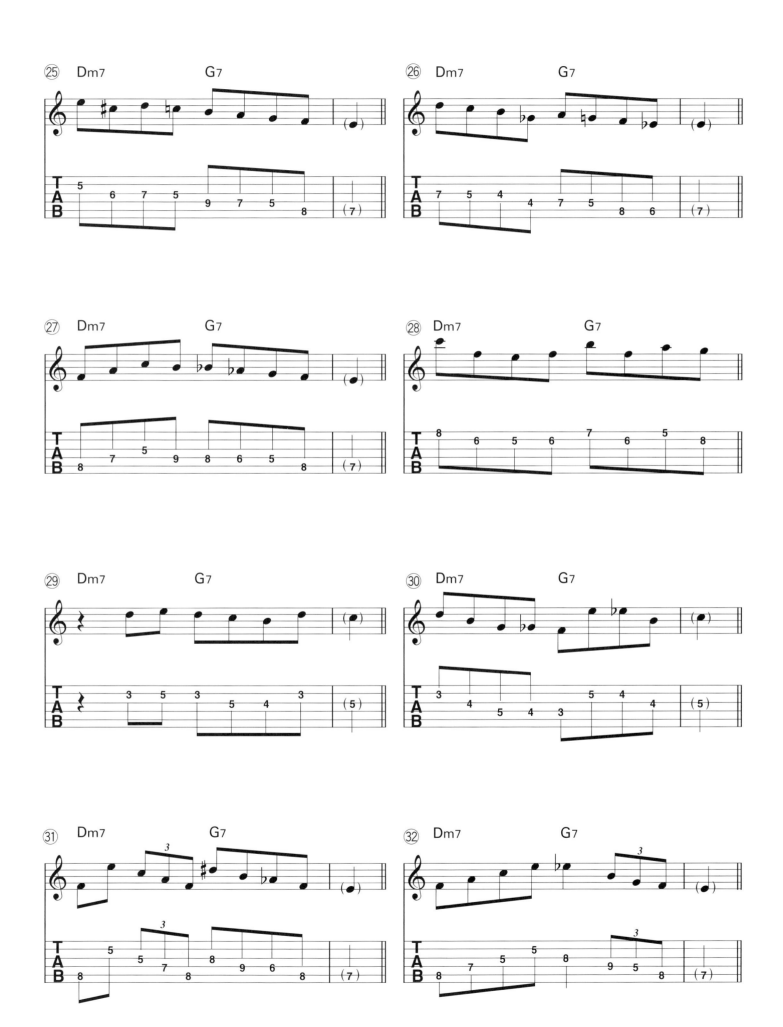

26

次のハーモニック・ヴァンプを使って、これまでに学習した 1 小節の ii‐V ラインをプレイアロング CD に合わせて
練習しましょう。

ショート ii-V ヴァンプ

Track 6

Track 7 のリズム・トラックを使って、サークル・オブ 4th に沿って移調する練習をしましょう。この練習を続けること
で、ラインを 12 のすべてのキーで確実に習得できます。

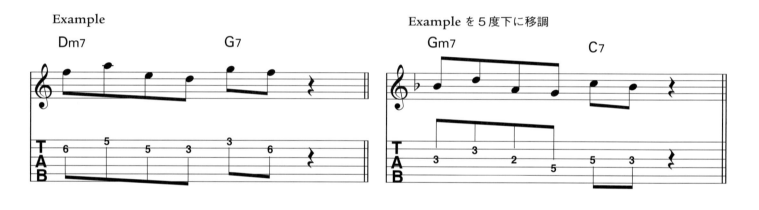

４度で移動するショート ii-V のラインの練習

Track 7

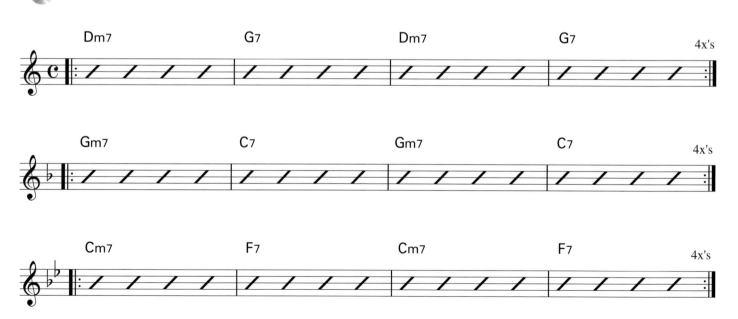

2小節のii-V（ロングii-V）進行で使用できるライン

以下のラインは、2小節の ii-V（Dm7-G7）進行で使えるアイディアです。

すべての譜例は一般的な 4/4 拍子で記譜されています。

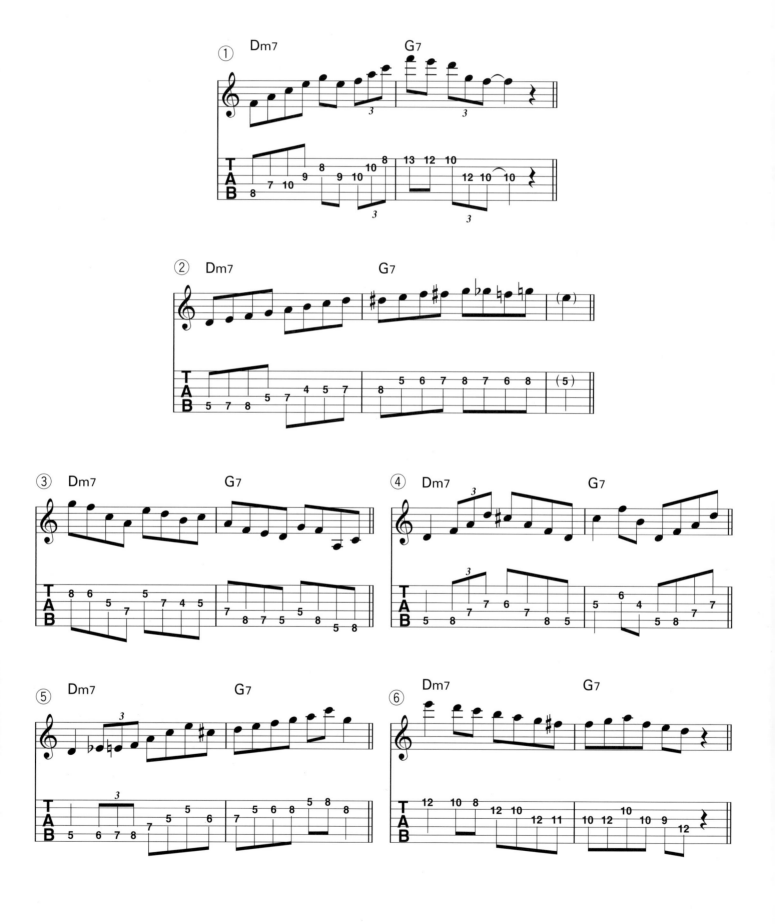

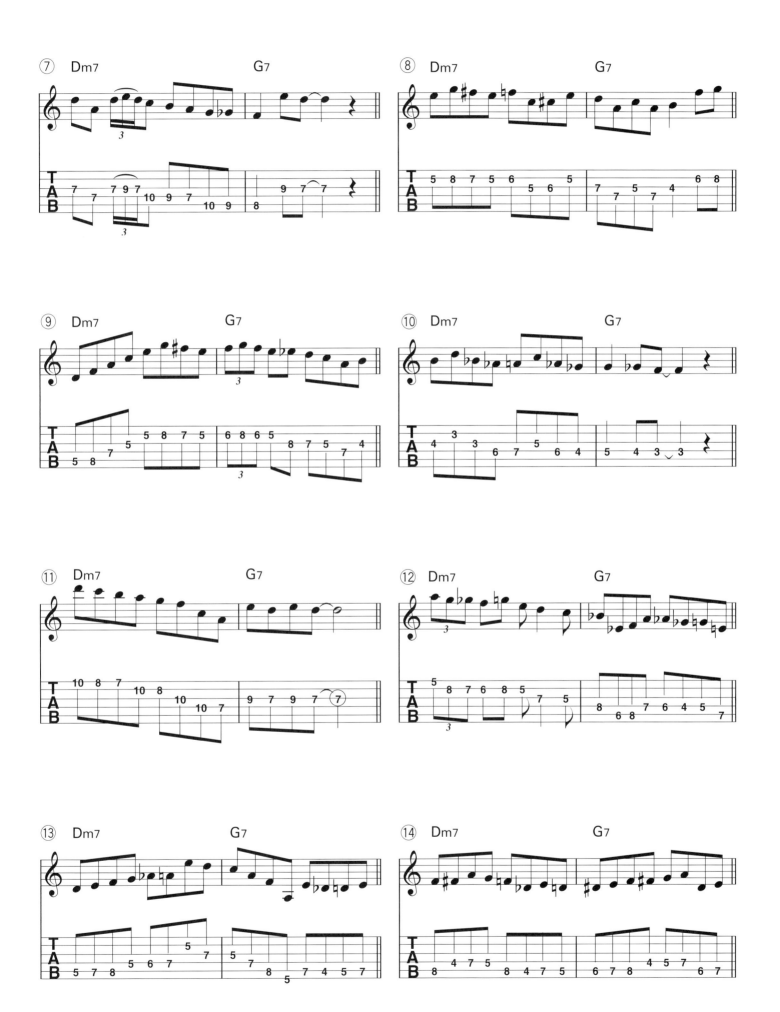

30

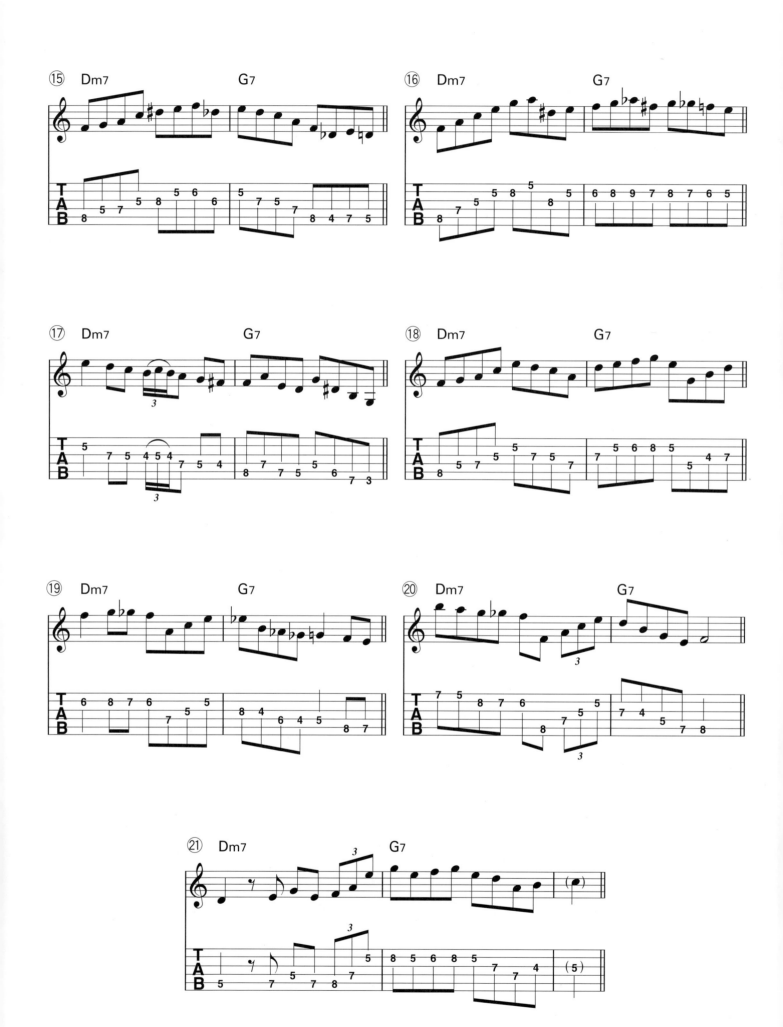

２小節のロング ii - V ラインは、マイナー 7th とドミナント 7th のセクションで学習したラインを、組み合わせて創
ることもできます。

次のハーモニック・ヴァンプを使って、これまでに学習した 2 小節の ii - V ラインをプレイアロング CD に合わせて練習しましょう。

ロング ii-V ヴァンプ

Track 8

Track 9 のリズム・トラックを使って、サークル・オブ 4th に沿って移調する練習をしましょう。この練習を続けることで、ラインを 12 のすべてのキーで確実に習得できます。

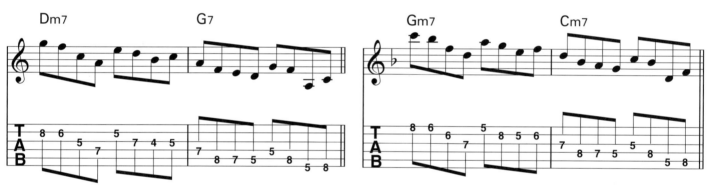

４度で移動するロング ii-V のラインの練習

Track 9

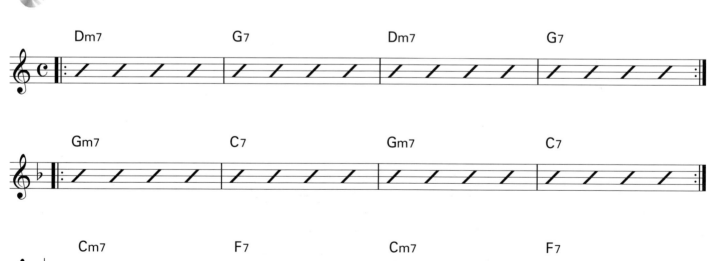

メジャー・コード（I）上で使用できるライン

以下のラインは、1 小節と 2 小節のメジャー・タイプ（□ Maj7、□ 6、□ 6$^{(9)}$ など）のコード上で使えるアイディアです。

すべての譜例は一般的な 4/4 拍子で記譜されています。

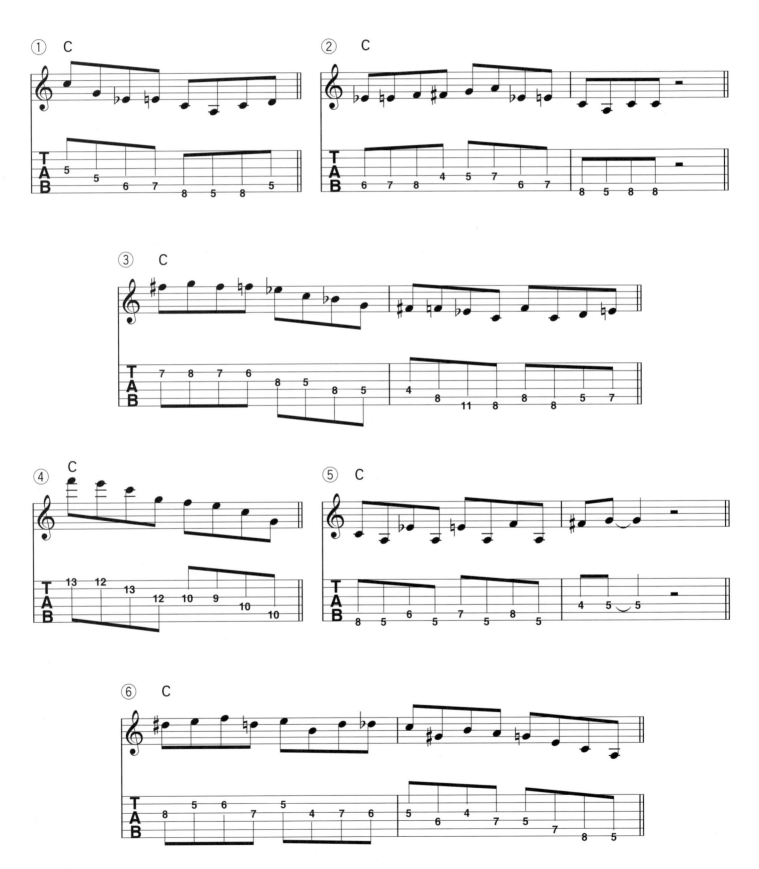

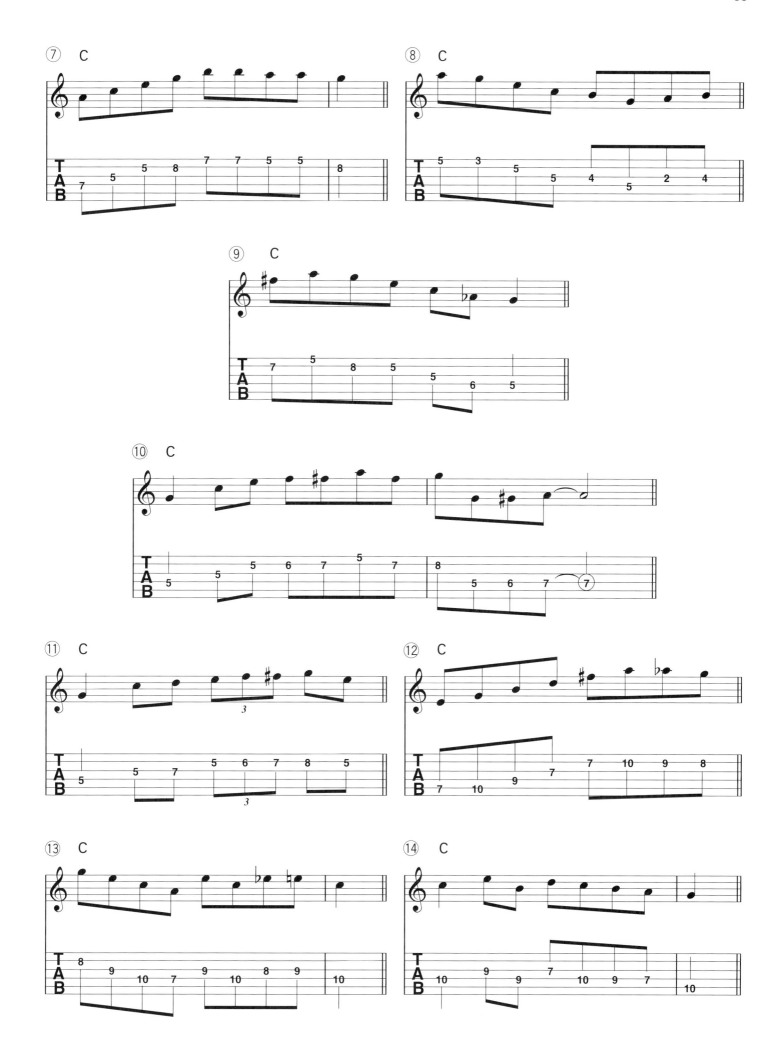

36

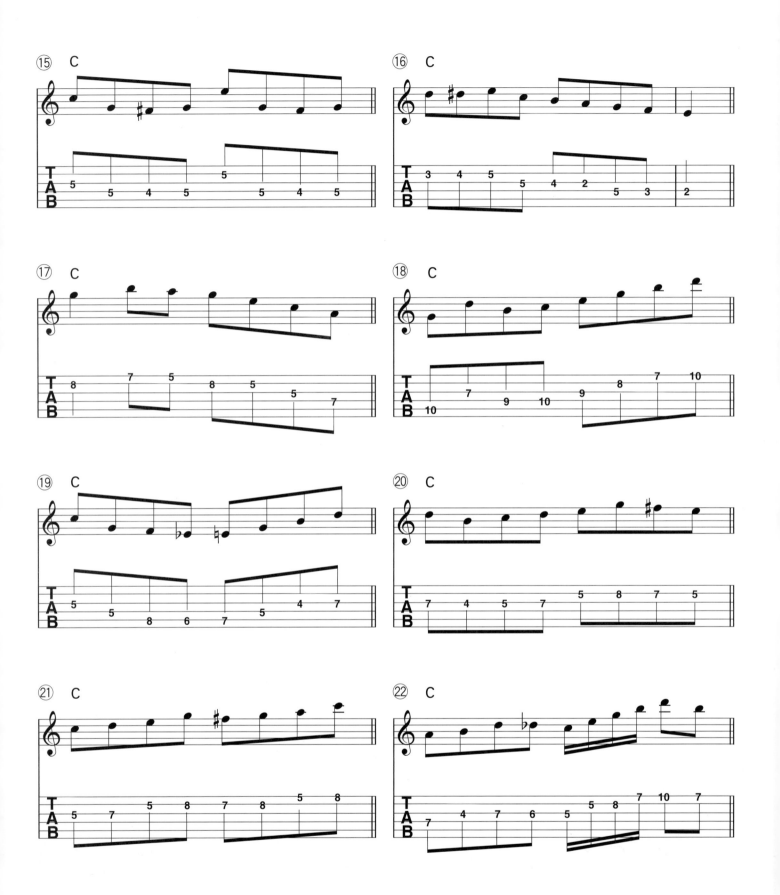

ジョー・パスは、メジャー・コード上でブルース・スケールを使うことがありました。本書ではあまり取り上げていま
せんが、各自でサウンドを注意して聴きとり、試してみましょう。

次のハーモニック・ヴァンプを使って、これまでに学習したメジャー・コードのラインをプレイアロング CD に合わせて練習しましょう。

 Track 10

メジャー・ヴァンプ

Track 11 のリズム・トラックを使って、サークル・オブ 4th に沿って移調する練習をしましょう。この練習を続けることで、ラインを 12 のすべてのキーで確実に習得できます。

Example   Example を 5 度下に移調

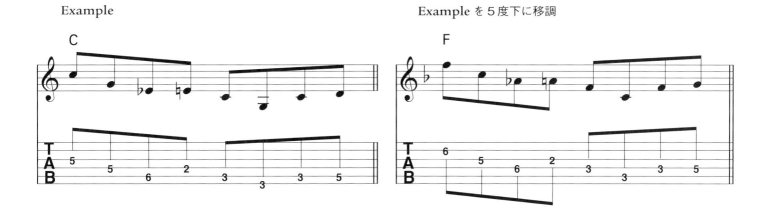

４度で移動するメジャー・コードのラインの練習

 Track 11

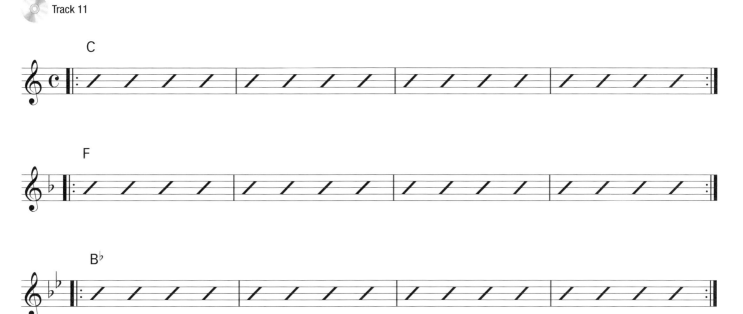

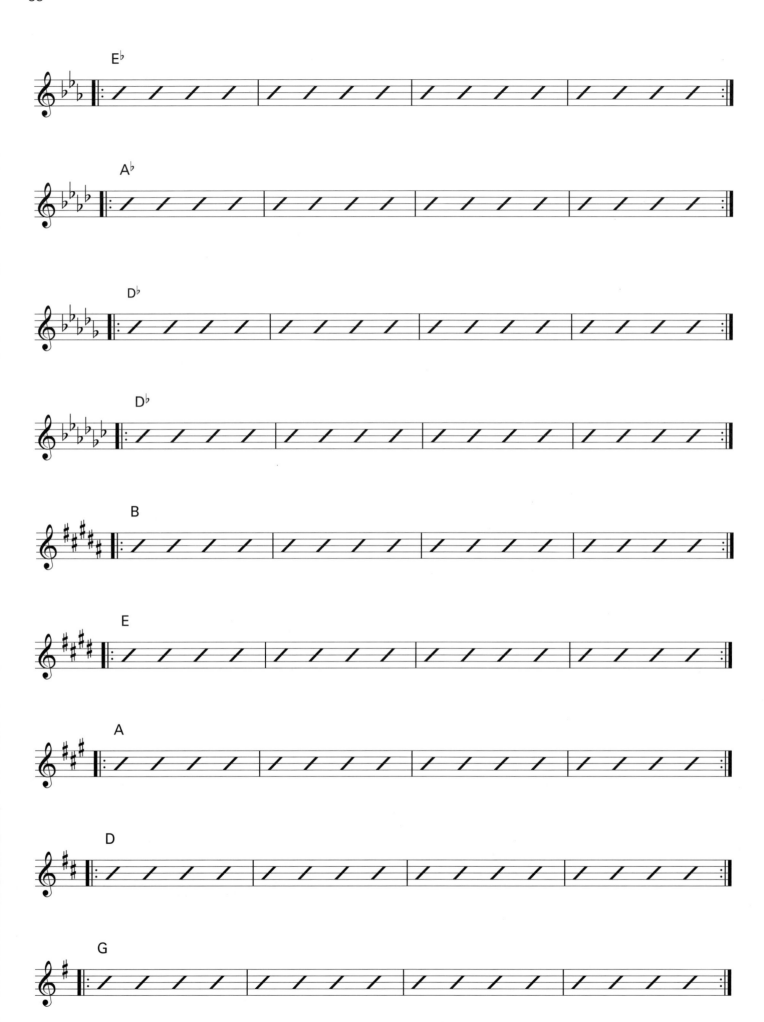

マイナー ii-V 進行で使用できるライン

以下のラインは、マイナー ii-V（Dm7$^{(\flat5)}$－G7alt.）進行上で使えるアイディアです。このコード進行は Cm コードに解決します。調号は、C マイナーの平行調である E フラット・メジャー・キーと同じであることに注意しましょう。

すべての譜例は一般的な 4/4 拍子で記譜されています。

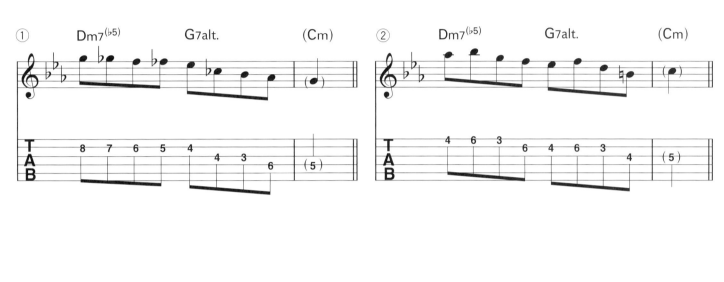

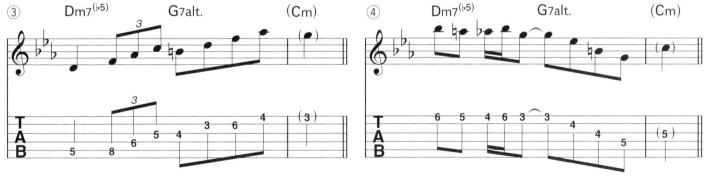

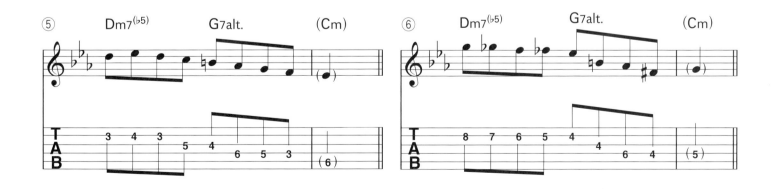

次のハーモニック・ヴァンプを使って、これまでに学習したマイナー ii-V のラインをプレイアロング CD に合わせて練習しましょう。

マイナー ii-V ヴァンプ

Track 12

Track 13 のリズム・トラックを使って、サークル・オブ 4th に沿って移調する練習をしましょう。この練習を続けることで、ラインを 12 のすべてのキーで確実に習得できます。

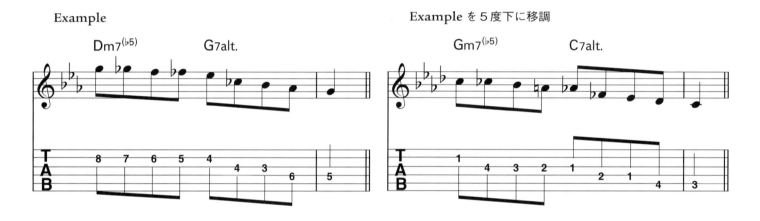

４度で移動するマイナー ii-V のラインの練習

Track 13

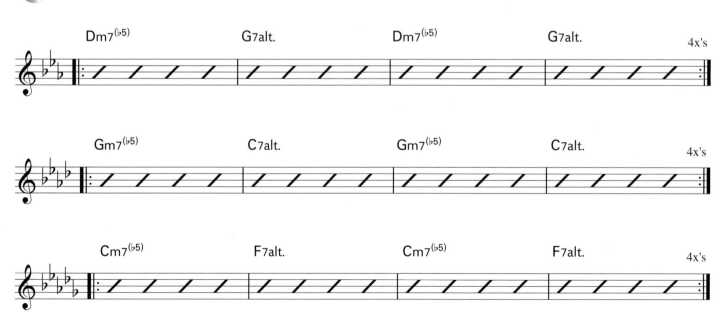

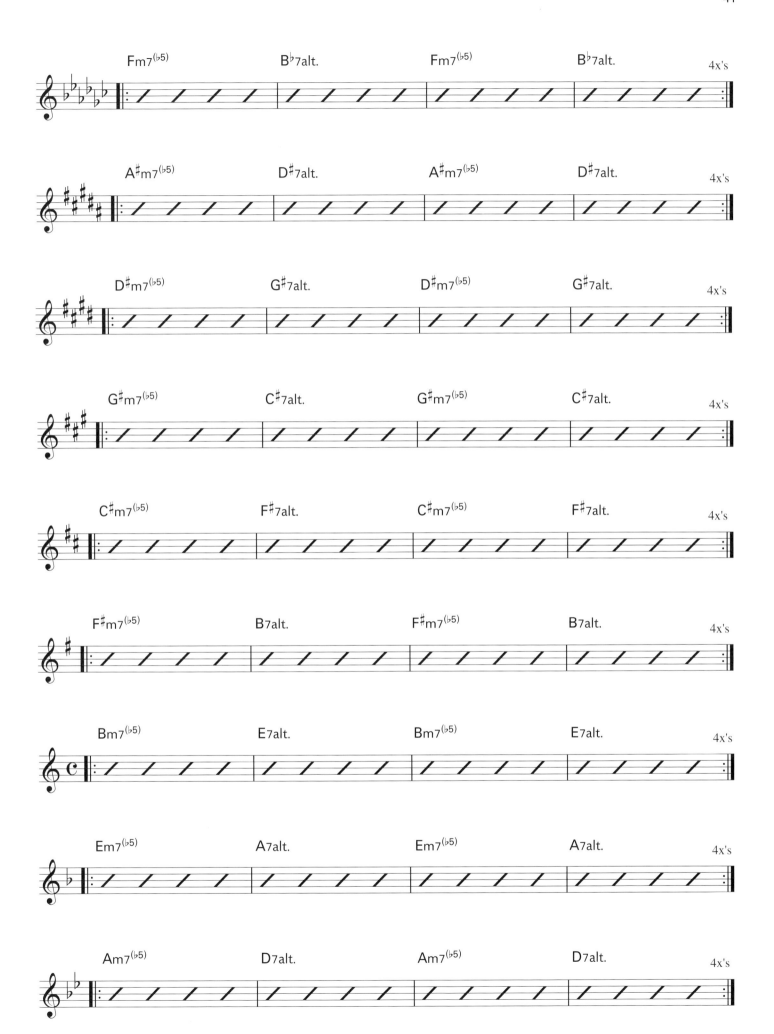

コードそれぞれのラインを組み合わせれば、誰でも ii - V - I 進行上で表現豊かに演奏することができます。Track 14 ～ 16 のリズム・トラックを使って、メジャーとマイナーの ii - V - I 進行上で組み合わせたラインを演奏しましょう。

４度で移動するショート ii-V-I のラインの練習

 Track 14

4 度で移動するロング ii-V-I のラインの練習

Track 15

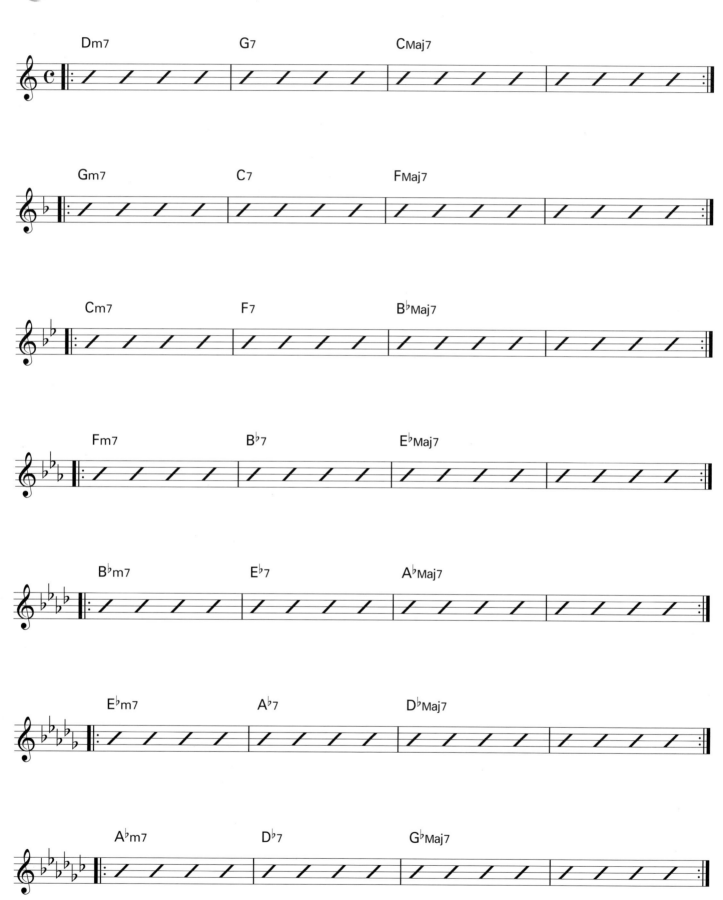

C#m7   F#7   BMaj7

F#m7   B7   EMaj7

Bm7   E7   AMaj7

Em7   A7   DMaj7

Am7   D7   GMaj7

４度で移動するマイナー ii-V-I のラインの練習

Track 16

ターンアラウンド

ジャズにおける一般的なターンアラウンドは、メジャーとマイナーの ii - V - I 進行を使って創られます。Track 17 を使って、ターンアラウンド上でラインを演奏する練習をしましょう。ターンアラウンドの最初の2小節ではマイナーの ii - V ラインを演奏します。そして次の2小節ではメジャーの ii - V ラインを演奏します。

４度で移動するターンアラウンドのラインの練習

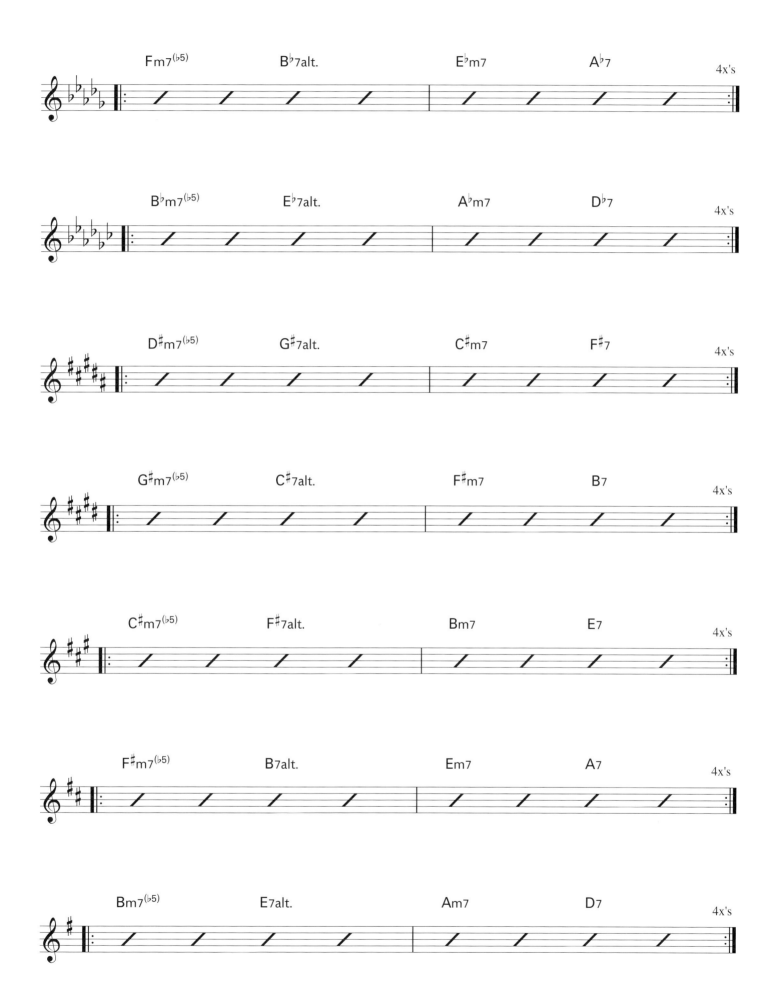

ジョー・パスのラインを使ってソロを創る

以下のエチュードは、本書で学習したラインが有名なジャズ・スタンダード「Satin Doll」のコード進行において、どのように使われるかを示しています。プレイアロングCDのTrack 18に合わせて、このエチュードを記譜通りに練習しましょう。最後に、本書で学習したラインを使って自分のソロを創ってみましょう。

Track 18

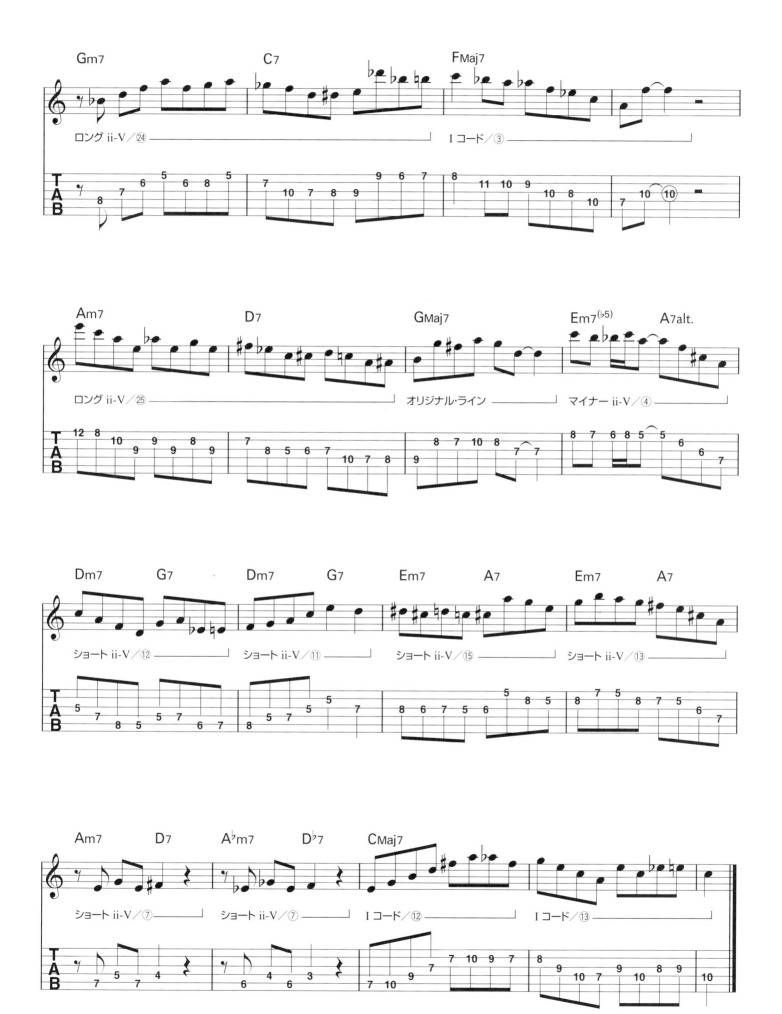

本シリーズは、*Jon Finn, Vic Juris, Steve Masakowski, Sid Jacobs, Mimi Fox, Ron Eschete, Barry Greene, Bruce Saunders, Mark Boling,*「ジャズ・ラインの探求シリーズ」でおなじみ *Corey Christiansen* など、最高のプレイヤー/指導者による著・演奏の「本/CD」セットのシリーズです。

定価 [本体 2,500 円＋税]

豊かなハーモニーを生み出す
ジャズ・イントロ＆エンディング
《模範演奏CD／コード・ダイアグラム付》

Ron Eschete（ロン・エシェテ）著・演奏

さまざまなキーやスタイルの楽曲におけるイントロとエンディングを 60 例紹介

ジャズ・イントロ＆エンディングは、さまざまなキーやスタイルの楽曲におけるイントロとエンディングを 60 例紹介しています。著者ロン・エシェテは、レイ・ブラウン，ジーン・ハリス，エラ・フィッツジェラルドをはじめとするジャズの巨匠たちと共演するなど、称賛されている著名なギタリストです。本書の豊かなハーモニーによるフレーズは、学習者自身のイントロやエンディングを生み出すうえで多くのすばらしいアイディアと理解をもたらすでしょう。

定価 [本体 2,500 円＋税]

ジャズ・コードとラインを活かすガイド・トーン
ザ・チェンジ
《模範演奏CD／タブ譜付》

Sid Jacobs（シド・ジェイコブ）著・演奏

コード・チェンジの核であるガイド・トーンを視覚化し
ソロ、コンピング、コード・メロディのヴォイシングに役立てる

ザ・チェンジは、フレットボード上でガイド・トーンを視覚化（頭の中で、指の細かな動きまで、具体的に思い浮かべること）するノウハウを提供するもので、ビギナーから上級者まで利用できる効果的なアプローチです。視覚化されたシェイプをもとに、ソロでのライン/コンピング/コード・メロディのためのヴォイシングを創り出すことができます。ガイド・トーンはプレイを容易にするだけでなく、コード・プログレッションを心地よく耳に伝えます。バロックからビバップ、さらにその先の音楽に至るまで、ミュージシャンたちがインプロヴィゼイションにおいてコード・チェンジを行う際にずっと用いてきた手法です。

定価 [本体 2,500 円＋税]

ジャズ・ギターの伴奏テクニックを学ぶ
コンピング・コンセプト
《模範演奏CD／タブ譜付》

Mark Boling（マーク・ボリング）著・演奏

コンピングにおけるヴォイシングの解説と譜例

コンピング・コンセプトは、6つのコード・プログレッション（コード進行）におけるコンピング・ボキャブラリーを発展させることによって、この状況を改善することを目指します。本書で使われるコード・プログレッションの練習曲は、ブルース/リズム・チェンジ/マイナー・ブルース/モーダル・チューン/いくつかのスタンダード・チューンなど、ジャズ・イディオムにおいてもっともよく使われるスタイルです。本書は、リズム，フレージング，コード・ヴォイシング，ヴォイス・リーディング，代理コード，リハーモナイゼーションに対するコンテンポラリーなアプローチを発展させることに焦点を当てています。本書で紹介するコンピング・コンセプト/リズム/フレーズは、たくさんのさまざまな音楽的状況において適用することができます。

定価 [本体 2,500 円＋税]

一歩進んだインプロヴァイジング・コンセプト
ジャズ・ペンタトニック
《模範演奏CD／タブ譜付》

Bruce Saunders（ブルース・サンダース）著・演奏

さまざまなハーモニーの動きにおける
ペンタトニック・スケールの使い方

ジャズ・ペンタトニックでは、典型的なギター学習者特有の要求に対応しながら、より活発なハーモニーの動きにおけるペンタトニック・スケールとその使用方法にアプローチすることを学びます。いくつかの基本的なインフォメーションを紹介してから、さまざまなハーモニーの状況における特定のペンタトニック・スケールの使い方を提示します。ギターをピアノやサクソフォン、あるいはトランペットと同じ土俵に上げ、ペンタトニック・スケールとコード・チェンジの関係を研究することが、本書の中心的なテーマです。

定価 [本体 2,500 円＋税]

一歩進んだインプロヴィゼイションのためのアイディア
上級ジャズ・ギター・インプロヴィゼイション
《模範演奏CD付》

Barry Greene（バリー・グリーン）著・演奏

上級者向けインプロヴィゼイションのアイディア

本書は、コード・スケールとジャズ理論に関する相応の知識をもっている中級〜上級レベルのジャズ・ギタリストを対象にしています。主な内容は、モーダルな演奏/代理コード/ディミニッシュ・スケールおよびメロディック・マイナー・スケール/ペンタトニック・スケールを取り上げています。

ブルース／ロック・インプロヴィゼイション
《模範演奏CD／タブ譜付》

Jon Finn（ジョン・フィン）著・演奏

ブルース／ロックのコンピング、ターンアラウンド、
ソロ・パートのリックとアイディアを解説

本書ブルース／ロック・インプロヴィゼイションでは、ブルース／ロックのソロ演奏に関する基本を紹介します。具体的には、基本的なリズム・ギター・パート、基本的なブルース・プログレッション、ターンアラウンド、ソロ・エクササイズ、そしてソロの演奏例を学びます。付属CDに収録されている曲は、重要なテクニックと考えられるものを強調するように工夫されています。

定価［本体2,500円＋税］

ロック／フュージョン・インプロヴァイジング
《模範演奏CD／タブ譜付》

Carl Filipiak（カール・フィリピアク）著・演奏

ロック／フュージョンに必要なコード・ヴォイシング、
スケール、ソロのアイディアを学ぶ

ロック／フュージョン・インプロヴァイジングでは、フュージョン特有の多くのコンセプトを取り上げ、解説します。これらのアイディアを自分の演奏に取り入れれば、付属CDに収録されている曲のみならず、その他のフュージョンやジャズの曲を演奏する上でも役に立つでしょう。

本書は、マイルス・デイヴィス、マハヴィシュヌ・オーケストラ、ウェザー・リポート、トライバル・テック、マイク・スターン，ジェフ・ベックなどのロックの要素を取り入れたスタイルを中心に取り上げています。ロックやブルースの基礎に慣れていれば、ほとんどの譜例に適応できます。ジャズに精通したギタリストであれば、さらに簡単に理解することができるでしょう。

定価［本体2,500円＋税］

ギターのための一歩進んだジャズ・ハーモニー
コルトレーン・チェンジ
《模範演奏CD／タブ譜付》

Corey Christiansen（コーリー・クリスチャンセン）著・演奏

ハード・バップを進化させた独特のコード進行
"コルトレーン・チェンジ"を基礎から分析、解説

偉大なジャズ・インプロヴァイザー、ジョン・コルトレーンは1960年に発表したアルバム「Giant Steps」によって、その後のリハーモナイゼーションの世界に大きな影響を与えました。本書では、難解とされるコルトレーン・チェンジ（コルトレーンのリハーモナイゼーション）を基礎から分析、解説し、スタンダードやブルースのコンピングやソロに応用する方法を学びます。現在では、このコルトレーン・チェンジもジャズ・インプロヴィゼイションの基本的な手法になっています。本書を通して、この難題にチャレンジしてみましょう。

定価［本体2,500円＋税］

ギターのための高度なブルース・リハーモナイゼーションとメロディック・アイディア
モダン・ブルース
《模範演奏CD／タブ譜付》

Bruce Saunders（ブルース・サンダース）著・演奏

ジャズ／ブルースでのさまざまなアイディアを紹介

本書は、ブルース演奏におけるメロディックおよびハーモニックなボキャブラリーを発展させたい中級から上級のプレイヤーに最適です。ここではジャズで演奏されることが多い、リハーモナイズされた12小節のブルースを取り上げ、チャーリー・パーカー，ジョン・コルトレーン，ジョー・ヘンダーソンなど、偉大なプレイヤーの手法を分析しています。付属のCDには模範演奏だけでなく、ドラムス／アコースティック・ベース／ギターによる生演奏を収録されたリズム・セクション・トラックと一緒に練習することができます。

定価［本体2,500円＋税］

ギターのための一歩進んだハーモニー
モダン・コード
《模範演奏CD／タブ譜付》

Vic Juris（ヴィック・ジュリス）著・演奏

作曲に繋げるモダンなコードの数々を提示し、解説

本書のテーマは、フィンガーボード上で実用的なコードをさまざまコードに発展させ、その練習を通してコードをさらに応用し、作曲（インプロヴィゼイション）へとつなげるアイディアを学ぶことです。
【**本書の主な内容**】ハーモニーの概要／トライアド／インターヴァリック・ストラクチュアとモーダル・コード／ペダルポイントを使ったコンピング／開放弦を含むコード

定価［本体2,500円＋税］

REH PROLESSONS & PROLICKS

定価［本体2,400円＋税］

ジャズ・インプロヴィゼイション・フォー・ギター　《模範演奏CD／タブ譜付》

Les Wise（レス・ワイズ）著・演奏

**オルタード・テンションを利用してビバップ・フレージングを生み出すプロセスをじっくり解説
かっこいいアドリブ・ソロのために必要なスケールや代理コードなどの知識とアイディアが満載**

【本書の主な内容】テンションと解決／メジャー・スケール／メロディック・マイナー・スケール／ハーモニック・マイナー・スケール　／一般的なリックとサブスティテューション・テクニック／オルタード・テンションを創る
35の模範演奏トラックを収録したCD付。一般的な記譜とタブ譜を掲載。

定価［本体2,400円＋税］

ジャズ／ロック・ソロ・フォー・ギター　《模範演奏＆プレイ・アロングCD／タブ譜付》

Norman Brown（ノーマン・ブラウン），*Steve Freeman*（スティーヴ・フリーマン），*Doug Perkins*（ダグ・パーキンス）共著・演奏

**大きく6つに分けたジャズ／ロック・スタイルのギター・ソロフレーズとその解説を
関心のあるチャプターから自由に学習**

ジョン・アバークロンビー，ジョージ・ベンソン，ラリー・カールトン，ロベン・フォード，パット・メセニー，ジョン・スコフィールド，マイク・スターン，バーニー・ケッセル，ウェス・モンゴメリーのギター・スタイルをフレーズごとに演奏方法を解説。
【本書の主な内容】トライアドを使ってインプロヴァイズする方法／ブルース・フュージョン／静止したコードやヴァンプのためのライン／アトモスフェリック・ジャズ／ダブル・ストップを使ったインプロヴィゼイション他
フル・バンドの模範演奏とリズムのみのトラックを収録したCD付。一般的な記譜とタブ譜を掲載。

定価［本体2,400円＋税］

コード／メロディ・フレーズ・フォー・ギター　《模範演奏CD／タブ譜付》

Ron Eschete（ロン・エシェテ）著・演奏

ロン・エシェテのすばらしいジャズ・フレーズでコード／メロディ・テクニックを広げる

【本書の主な内容】コード・サブスティテューション（代理コード）／クロマティック・ムーブメント／コントラリー・モーション（反進行）／ペダル・トーン／インナー・ヴォイス・ムーヴメント（内声の動き）／リハーモナイゼーション・テクニック
39の模範演奏トラックを収録したCD付。一般的な記譜とタブ譜を掲載。

定価［本体2,400円＋税］

インターヴァリック・デザイン・フォー・ジャズ・ギター　《模範演奏CD／タブ譜付》

Joe Diorio（ジョー・ディオリオ）著・演奏

ジョー・ディオリオが教えるさまざまなインターヴァリック・フレーズ

【本書の主な内容】トーナリティを使用したデザイン／ダイアトニック・ハーモニーを使用したデザイン／ディミニッシュ・スケールを使用したデザイン／ドミナント・コードとオルタード・ドミナント・コードのためのデザイン／クロマティック・スケールを使用したデザイン／慣例的なプログレッションのためのデザイン／さまざまなハーモニック・アプリケーションを使用したデザイン／完全5度音程を使用したデザイン／フリースタイル・インプロヴィゼイションのためのデザイン
模範演奏トラックを収録したCD付。一般的な記譜とタブ譜を掲載。

定価［本体3,300円＋税］

ジャズ・ソロ・フォー・ギター　《模範演奏CD／タブ譜付》

Les Wise（レス・ワイズ）著　　　演奏：*Les Wise*（ギター），*Craig Fisher*（ピアノ），*Joe Brencatto*（ドラムス）

名ギタリストたちのスタイル、フレーズに基づき6種類のソロ・コンセプトを解説

ウェス・モンゴメリー，ジョニー・スミス，ジミー・レイニー，タル・ファーロウ，ジム・ホール，ジョー・パス，ハーブ・エリス，パット・マルティーノ，ジョージ・ベンソン，バーニー・ケッセル，エド・ビッカートのギター・スタイルをフレーズごとに解説。
【本書の主な内容】アルペジオ・サブスティテューション／テンションと解決／ジャズ・ブルース／コード・ソロイング
フル・バンドの模範演奏とリズムのみのトラックを収録したCD付。一般的な記譜とタブ譜を掲載。

ブルース・ソロ・フォー・ギター　《模範演奏＆プレイ・アロングCD／タブ譜付》

Keith Wyatt（キース・ワイアット）著　　　演奏：*Keith Wyatt*（ギター），*Tim Emmons*（ベース），*Jack Dukes*（ドラムス）

**基礎テクニックから始め、ブギ・シャッフル、テキサス・スウィングなど
ブルース・ソロをポイント別に解説**

アルバート・キング，アルバート・コリンズ，B.B.キング，ジミ・ヘンドリックス，エリック・クラプトン，スティーヴィー・レイ・ヴォーン，スティーヴ・クロッパー，フレディ・キング，ロニー・マック，T-ボーン・ウォーカー，ゲイトマウス・ブラウン，ウェイン・ベネット，ピー・ウィー・クレイトン，チャック・ベリー，カール・パーキンス，ブライアン・セッツァーのギター・スタイルをフレーズごとに解説。
【本書の主な内容】ベンディング／ヴィブラート／トーン／ノート・セレクション（音の選択）／その他のヒント
フル・バンドのデモ演奏とリズムのみのトラックを収録したCD付。一般的な記譜とタブ譜

ブルースと代理コード
改訂版 ジョー・パス ジャズ・ギター教本

Joe Pass（ジョー・パス）著・演奏 　　　　　　　　　　　　　　　《模範演奏 CD 付》

ジョー・パス本人が教える コードの語彙力を増やす方法 模範演奏 CD は必聴!!

ブルースと代理コードというサブタイトルが示す通り、シンプルな3コードのブルース進行を、ターン・アラウンドやパラレル・アプローチ・コードを使って、段階的に複雑でジャジーなサウンドに仕上げていきます。

ジョー・パス本人が、ソロ・ギターにおけるウォーキング・ベースや、バンドでの演奏に適したベース・ノート省略型のコードなど、目的に応じてどのようにコードを組み立てて使用しているかをわかりやすく、かつシンプルに解説しています。

本書を通してさまざまな代理コードを体験することで、3コードのブルースのみならず、他の曲にも応用できるようになります。コード・ダイアグラムと写真を使って解説されていますので、ジャジーなコード・サウンドや代理コードを体験したい、というジャズ入門者にとっても最適な一冊です。

定価［本体 2,800 円＋税］

伝説のスーパー・ギタリスト自身が執筆・模範演奏
コーネル・デュプリー　リズム＆ブルース・ギター

Cornell Dupree（コーネル・デュプリー）著・演奏 　　　　　　　　　　《模範演奏 CD 付》

**全10作品を、リズム＆ブルースの変遷とともにコーネル自らが詳細に解説
初心者でも取り組みやすい TAB 譜付**

King Curtis のバンドを経て、何千というセッションをこなしながら、伝説のインストゥルメンタル・リズム＆ブルース・フュージョン・バンド STUFF を結成し、エリック・ゲイルとともにクールなギターをプレイするコーネル・デュプリー。

本書では、彼が自らの作品全10曲を解説しながら模範演奏を披露。楽譜には TAB 譜もついており、読譜が苦手なギタリストでもコーネルの作品を容易に楽しめるように工夫されています。

定価［本体 2,800 円＋税］

ロベン・フォード　ブルース・ライン＆リズム

Robben Ford（ロベン・フォード）著・演奏 　　　《模範演奏／プレイアロング CD・タブ譜付》

**ロベン・フォードのシンプルでカッコいいブルース・ソロや
コンピングをコメント付で解説**

ロベン・フォード独特のブルースにおけるソロ（ライン）とコンピング（リズム）のアプローチを深く学べるブルース・ギター教本です。

本書は2つのパートから構成されています。前半（Part 1）は、ロベン・フォードならではの特徴的なブルース・ソロ・フレーズの組み立てとフィンガリングを探究。Part 2 では、ロベン・フォードの特徴的なコード・ヴォイシングとドライブするリズム・パターンによるすばらしいコンピング・テクニックを探究します。

定価［本体 3,000 円＋税］

シングル・ラインの演奏を極める
ジャズ・ギター　ライン＆フレーズ　　　《模範演奏 CD／タブ譜付》

Sid Jacobs（シド・ジェイコブス）著・演奏

模倣から始めるインプロヴィゼイションのアイディア、即戦力となるライン＆フレーズ

実際の演奏ですぐに使うことができる便利なライン＆フレーズ集である本書により、「ジャズ言語」のボキャブラリーを身につけ、表現の幅を広げることができます。II-V、V-I、II-V-I でのフレーズを数多く紹介、その短いフレーズを組み合わせソロを構築していくスタイルを解説しています。

付属 CD には、1つのセクションをノンストップで演奏した模範演奏が収録されており、耳から本格的なジャズ・ギターのニュアンスを学べ、そして各セクションのフレーズはどれもカッコよく、真似して弾くだけで大満足。ギターの奏法については解説されていませんが、ある程度の演奏ができる初心者から上級者まで幅広く使うことができます。

定価［本体 4,300 円＋税］

エッセンシャル・ジャズ・ライン　スタイルの探究シリーズ
ジャズ・マスターのラインとスタイルを学ぶ　プレイ・アロングCD付

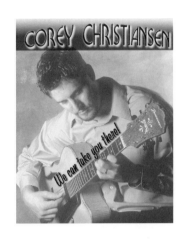

本シリーズは、ジャズ・マスターたちの個性的なラインと主なアプローチを探究し、あなたのラインをさらに発展させるための実践的なプレイ・アロングCD付の教則本です。著者 Corey Christiansen（コーリー・クリスチャンセン）とリズム・セクションによるバック・グラウンドのプレイ・アロングCD は、12のすべてのキーで練習できるように創られています（ラインの模範演奏は収録されていません）。

チャーリー・パーカー・スタイルの探究　ギター《CD付》定価 [本体2,000円＋税] 他：E♭，B♭，C，Bass Clef

ジョン・コルトレーン・スタイルの探究　ギター《CD付》定価 [本体2,200円＋税] 他：E♭，B♭，C，Bass Clef

キャノンボール・アダレイ・スタイルの探究　ギター《CD付》定価 [本体2,000円＋税] 他：E♭，B♭，C，Bass Clef

クリフォード・ブラウン・スタイルの探究　ギター《CD付》定価 [本体2,200円＋税] 他：E♭，B♭

マイルス・デイヴィス・スタイルの探究　ギター《CD付》定価 [本体2,200円＋税] 他：トランペット

ジョー・パス・スタイルの探究　ギター《CD付》定価 [本体2,000円＋税]

ウェス・モンゴメリー・スタイルの探究　ギター《CD付》定価 [本体2,200円＋税]

グラント・グリーン・スタイルの探究　ギター《CD付》定価 [本体2,200円＋税]

ATN, inc.

エッセンシャル・ジャズ・ライン
ジョー・パス・スタイルの探究
ギター

Essential Jazz Lines
in the style of **Joe Pass**

3512-5

発　行　日	2002年　6月　1日（初版） 2020年　2月20日（第1版5刷）
著　　　者	Corey Christiansen（コーリー・クリスチャンセン）
翻　　　訳	石川　政実
監　　　修	イシイ　タカユキ
発行・発売	株式会社　エー・ティー・エヌ © 2002 by ATN,inc.
住　　　所	〒161-0033 東京都新宿区下落合 3-12-21 目白エミネンス102 TEL 03-6908-3692　FAX 03-6908-3694
ホームページ	http://www.atn-inc.jp

ISBN978-4-7549-3512-2